Imprimé en Italie par G. CANALE, TURIN
Dépôt légal n° 3008 - Mai 1989
46.10.0493.01
ISBN 2.73.330493.3
Loi n° 49-956 du 16 juillet 1949
sur les publications destinées à la jeunesse-dépôt 5-89

# Walt Disney

## Les chefs-d'œuvre

# Peter Pan

HACHETTE Jeunesse

PETER PAN APPROCHE... Il vient de très
loin, tout droit du Pays Imaginaire, celui des fées,
des sirènes, des Indiens, des pirates...

En justaucorps et bonnet pointu piqué
d'une plume, Peter Pan ressemble à un page
du Moyen Âge. Chaussé de poulaines, il porte
un poignard à la ceinture.

Et regardez... c'est magique : Peter Pan n'a pas
d'ailes et pourtant il vole !

Ce soir il se dirige vers une maison de Londres,
celle des Darling. Il entrera sans bruit dans la
nursery à l'heure où les enfants, Wendy, Jean et
Michel, s'endorment...

La nuit est calme. Mais que se passe-t-il dans la maison des Darling?

M. et Mme Darling se préparent à sortir ce soir. Madame est prête, mais Monsieur cherche ses boutons de manchettes. Il s'énerve!

Quant aux deux garçons, Jean et Michel, ils se poursuivent et se pourfendent à travers la maison, en poussant des cris de pirates...

« Silence, les enfants! dit le père. Cessez vos bagarres et aidez-moi à chercher mes boutons de...

– Mais, papa, répond Jean, nous sommes Peter Pan et le capitaine Crochet! Peter m'a coupé la main et l'a donnée au crocodile... Wendy nous a raconté...

– Wendy! dit sévèrement M. Darling à sa fille. Tu leur tournes la tête avec tes histoires de Peter Pan. Il est temps que tu grandisses et que tu quittes la nursery! Demain tu auras ta chambre pour toi toute seule... »

Badaboum! M. Darling ne regarde pas où il met les pieds. Il glisse sur les cubes des enfants et s'étale par terre, plus furieux encore.

M. Darling se relève et gronde les enfants.
« Papa, je t'assure que Peter Pan existe !
lui explique Wendy. Il vit au Pays Imaginaire !
Tu devais bien le connaître quand tu étais petit !

– Contes et balivernes ! » grogne M. Darling qui n'en croit pas un mot.

Et il s'en prend maintenant à la bonne d'enfants, la gentille chienne Nana. Elle entre justement dans la nursery avec un verre de lait mousseux pour chacun. Elle a posé le plateau en équilibre sur son bonnet...

Nana est une vieille chienne au long poil, toute dévouée aux enfants, toujours présente à la nursery.

Mais M. Darling est fâché. Il pense que la vieille Nana gâte trop les enfants, et qu'à leur âge, ils n'ont plus besoin de nounou. Il entraîne la chienne dans le jardin et l'attache au bout d'une corde.

« Contente-toi de garder la maison ! dit-il. Je n'ai plus besoin de bonne d'enfants. »

Pauvre Nana ! Elle se laisse faire et regarde M. Darling avec de grands yeux tristes.

Pendant ce temps, Mme Darling embrasse Wendy, Jean et Michel. Elle les borde dans leur lit, leur souhaite bonne nuit, puis elle s'apprête à fermer la fenêtre.

« Oh non, maman ! Ne ferme pas la fenêtre, s'écrie Wendy. Peter Pan va peut-être venir chercher son ombre... Je l'ai retrouvée par terre l'autre jour ! C'est Nana qui la lui avait prise par erreur.

   – Peter Pan? s'inquiète Mme Darling. Son
ombre? Qu'est-ce que tu racontes, Wendy? Papa t'a
dit...»
   Personne ne l'écoute. Les enfants dorment déjà.
   M. Darling est enfin prêt. Les parents quittent
la maison, ferment la porte du jardin.
   « Je n'aime pas laisser les enfants dormir seuls,
dit Mme Darling. On ne sait jamais...
   – Ils ne craignent rien », affirme M. Darling.

Mais qui vient de se poser sur le toit de la maison et saute de cheminée en cheminée?

Un drôle de garçon en justaucorps et bonnet pointu... Peter Pan, bien sûr!

Il est suivi d'une traînée de poudre dorée et d'une étoile filante... Non! C'est une petite fée brillante qui vole à ses côtés.

Peter Pan passe son nez par la fenêtre; il vérifie que Michel, Jean et Wendy dorment bien, et se glisse sans bruit dans leur chambre. Il cherche quelque chose...

« Clochette! Aide-moi. Il faut absolument retrouver mon ombre. Elle m'a échappé la dernière fois! »

Peter cherche son ombre partout... Il fouille dans le coffre à jouets. Il l'appelle :

« Mon ombre! Mon ombre! Où es-tu, ma belle ombre? »

Soudain Clochette voit bouger un tiroir de la commode et vole regarder par le trou de la serrure.

« Diling! Diling! » fait-elle doucement en secouant la tête et les ailes pour dire qu'elle l'a trouvée.

Peter tire le tiroir. Aussitôt l'ombre se sauve...

« Viens ici tout de suite! » ordonne Peter.

Il court, il vole après son ombre... au plafond,
sous les lits. Enfin, il réussit à l'attraper.

« Coquine, tu ne m'échapperas plus ! lui dit
Peter.

– Oh ! Peter Pan, tu es là ! dit Wendy qui se
réveille juste à ce moment. Je l'avais rangée.
J'espère qu'elle n'est pas chiffonnée ? Attends, je vais
te la recoudre ! »

Peter lui tend un pied, puis l'autre. Wendy
recoud l'ombre à petits points.

« Peter ! C'est ma dernière nuit dans la
nursery ! lui confie Wendy. Demain je serai grande...

— Et moi, je ne pourrai plus venir écouter tes
histoires pour les raconter à mes Garçons Perdus ?
Alors, viens, Wendy, je t'emmène au Pays
Imaginaire !

— Et nous ? disent Jean et Michel.

— Apprenez à voler et je vous emmène tous les
trois, dit Peter en leur lançant un peu de poudre de
fée. Il suffit de penser à des choses merveilleuses
et... Hop !

– Nous volons! Nous avons des ailes! »
chantent Wendy, Jean et Michel.

Ils montent au plafond, dansent et
tourbillonnent, frôlent les murs... Il leur suffit de
bouger les épaules, d'agiter les bras pour voler...

Enfin Peter Pan se pose sur le rebord de la
fenêtre, prend la main de Wendy...

« En route! dit-il. Nous partons vers le Pays
Imaginaire! »

Peter et les enfants s'élancent par la fenêtre, suivis d'une traînée de poudre dorée. Mais Nana, toujours attachée dans le jardin, proteste.

« Ouah ! Ouah ! Quelle bêtise sont-ils en train de faire ? gémit-elle, éberluée. Voilà qu'ils s'envolent, maintenant ! Et je ne peux rien pour les arrêter. »

Peter Pan, Wendy, Jean et Michel, ainsi que Clochette volent de rue en rue, de maison en maison.

La nuit est noire, mais l'air est léger, léger...

« Où se trouve le Pays Imaginaire ? demande Wendy.

– A droite de la seconde étoile et tout droit jusqu'au matin ! crie Peter Pan.

– Tout droit jusqu'au matin... répètent les garçons.

– Alors c'est très loin ! » s'écrie Wendy.

Le matin se lève. Les enfants volent toujours...
Enfin ils aperçoivent l'île du Pays Imaginaire.

« C'est comme Wendy nous le racontait! dit Jean en ajustant ses lunettes. Regardez, je reconnais le Village des Indiens! La Lagune des Sirènes...

– Et la Crique du Crocodile... s'écrie Wendy, avec le bateau du capitaine Crochet... »

Les voyageurs se posent un instant sur un nuage pour admirer ce pays merveilleux. S'ils savaient ce qui se dit, en bas, sur le bateau, ils seraient terrifiés...

« Damné Peter Pan! rage le capitaine Crochet. Si je savais où il se cache... je lui ferais passer un mauvais quart d'heure pour m'avoir tranché la main et l'avoir donnée à manger à ce crocodile!

– Vous avez de la chance qu'il ait avalé en même temps un réveil-matin... constate Mouche, le cuisinier. Son tic-tac vous annonce toujours son arrivée, capitaine.

   – Tic-tac, tic-tac...

   – C'est lui ! crie le capitaine. Au secours !

   – Crocodile, file ! dit Mouche. Il n'y a pas de main à dévorer aujourd'hui. Ne terrorise pas le capitaine ! »

   Le crocodile plonge dans la mer, le tic-tac cesse.

De là-haut Peter et ses amis contemplent tranquillement le paysage. Mais, perché dans le nid-de-pie, l'un des pirates du capitaine Crochet scrute le ciel. Il aperçoit les voyageurs à bord de leur nuage et crie :

« Peter Pan en vue ! Je vois des enfants avec lui...

– Par ma grand'voile, morts ou vifs nous les aurons ! hurle le capitaine Crochet. Tout le monde sur le pont. Tous à la manœuvre ! A mon commandement... FEU ! »

Un premier boulet s'envole vers le ciel.

« On nous tire dessus! s'écrie Peter Pan. Clochette, emmène vite les enfants à l'abri. Je reste pour occuper Crochet! »

Peter Pan se met à danser sur le nuage pour éviter les boulets des pirates.

Clochette entraîne les enfants vers la demeure secrète de Peter, sous l'Arbre Mort. La petite fée vole très vite, trop vite pour Wendy... parce qu'elle voudrait se débarrasser de la petite fille!

Clochette est jalouse de Wendy, qui pourrait lui prendre l'amitié de Peter. Elle devance Wendy et ses frères, entre dans la demeure de Peter Pan et y retrouve les Garçons Perdus, les protégés de Peter.

« Diling! Diling! Wendy est un vilain oiseau qu'il faut abattre, ment Clochette. Sortez vite l'attaquer! »

Les garçons prennent leurs bâtons et leurs lance-pierres. Ils sont enchantés de se battre...

Les pierres jaillissent
en direction de Wendy
et de ses frères. Jean ouvre
son parapluie pour les
protéger...

« Au secours ! » hurle
Michel, épouvanté.
Mais Peter Pan surgit au bon
moment pour les secourir.

Il est furieux et gronde
les Garçons Perdus.

« Je vous envoie Wendy,
qui est mon amie,
pour qu'elle vous raconte
des histoires... et vous
la recevez avec des pierres ! leur reproche-t-il.

– C'est la faute de Clochette ! disent les Garçons
Perdus. Elle nous a dit d'attaquer "l'oiseau
Wendy" !

– La coquine aura affaire à moi ! » gronde
Peter.

Le calme revenu, Peter présente Wendy et ses frères aux Garçons Perdus qui n'ont ni père ni mère et qui vivent ici, sous l'Arbre Mort, le repaire de Peter.

Les Garçons Perdus décident de partir avec Michel et Jean à la chasse aux Peaux-Rouges. Jean sera leur capitaine...

« Venez avec nous ! dit Jean à Peter Pan et à Wendy.

– Non ! Wendy voudrait voir les sirènes », crie Peter.

Et tous deux s'envolent vers la Lagune aux Sirènes.

« Ce sont de vraies sirènes ? demande Wendy. Elles ont une queue de poisson, de longs cheveux ?

– Regarde ! répond Peter en se posant sur un rocher.

– Comme elles sont jolies ! » s'écrie Wendy, ravie.

Et pendant que Peter et Wendy rendent visite
aux sirènes, toute la Montagne Bleue résonne des
cris joyeux de la bande de chasseurs d'Indiens.
　　Ils longent les chemins, franchissent les
torrents, traversent la forêt en riant et en chantant :
　　　« *Marchons avec entrain*
　　　*Allons combattre les Indiens.* »

Enfin, au milieu d'une clairière, ils découvrent des traces de pas...

« C'est l'empreinte de Pieds Bleus! déclare Jean. Attention, notre tactique sera celle de l'encerclement. »

Mais pendant que Jean explique son plan, Michel aperçoit les pieds d'un Indien sous un sapin.

« Un Indien! J'en ai vu un grand! » crie-t-il.

Mais personne n'entend Michel! Soudain, tous
les sapins se mettent à bouger et à s'approcher des
chasseurs... Des bras jaillissent des branches et se
saisissent de Jean, de Michel et des Garçons Perdus.

Pauvres chasseurs chassés!

Ils se retrouvent attachés au grand totem du
village, tous prisonniers...

« Qu'est-ce qu'ils vont nous faire ? s'inquiète Michel.

— Rien, disent les Garçons Perdus. C'est un jeu !

— Hugh ! rugit le grand chef qui s'avance vers eux.

— Hugh ! murmurent en chœur les prisonniers.

— Où est ma fille, Lily la Tigresse ? gronde le grand chef. Si elle n'est pas rentrée avant la nuit, vous serez brûlés vifs. »

Au même moment, à la Lagune aux Sirènes, Peter Pan, qui contemple la mer, pousse un cri :

« Voilà Crochet ! Je vois venir son canot ! Il est avec Mouche. Ils ont capturé Lily la Tigresse. Elle est attachée à l'arrière de l'embarcation... On dirait qu'ils se dirigent vers le Rocher du Crâne. Vite, Wendy, suivons-les sans bruit. »

Ils s'envolent tous deux. Puis, du haut d'un rocher, observent Crochet sans se faire remarquer.

« Ah! Ah! s'écrie l'affreux capitaine Crochet. J'ai un bon plan pour me venger de Peter. Il va voir... »

Crochet attache Lily sur un rocher et lui dit :

« Chère princesse, dis-moi où se trouve la cachette de Peter Pan et je te rendrai la liberté. Attention! Dépêche-toi... Bientôt il sera trop tard, car la marée monte! Je t'écoute... »

Loyale et fière, la petite princesse ne souffle mot.

« Je vais donner une leçon à ce cloporte ! » dit
Peter Pan à l'oreille de Wendy avant de s'envoler.

Il se dresse soudain devant le capitaine, et crie :
« Crochet, tu vas regretter ta méchanceté ! »

Un terrible combat s'engage. Crochet est armé
d'une longue rapière à la lame redoutable. Mais
Peter se moque de lui. Léger comme un lutin, il
esquive toujours à temps.

Enfin Crochet croit qu'il va embrocher Peter. Il
ne voit pas qu'il est au bord du vide...

Fou de rage, le capitaine veut porter un coup terrible à Peter, mais son pied glisse...

« Aaaaah ! Au secours ! »

Crochet tombe dans le vide.

Son ennemi, le crocodile, est là, prêt à le croquer !

Mais Crochet pèse de tout son poids pour empêcher la gigantesque gueule de se refermer.

« Ne bougez pas, capitaine, j'arrive ! » crie Mouche.

Tout à son combat, Peter a oublié Lily, toujours ligotée sur son rocher. La marée ne cesse de monter, la mer l'a presque engloutie...

« Peter... Vite ! Lily va se noyer ! » crie Wendy.

Peter fonce vers elle, se jette à l'eau, coupe ses liens, la saisit dans ses bras et vole vers le rivage.

« Merci, Peter Pan, dit Lily, tu m'as sauvé la vie ! Mais j'aurais préféré mourir plutôt que de te trahir.

– Maintenant, je te ramène à ton père », lui dit Peter, et il fait signe à Wendy de les suivre jusqu'au Village des Indiens.

Dès le retour de sa fille chérie, le chef indien
libère ses prisonniers et ordonne une grande fête.
« Tu as sauvé ma fille, dit le chef à Peter.
Désormais nous t'appellerons Aigle Futé.
Fumons ensemble le calumet de l'amitié. Chantons
et dansons !

– Veux-tu danser avec moi, Aigle Futé? »
demande Lily.

Coiffé d'une parure de plumes, Peter accepte
l'invitation.

Mais Clochette ne partage pas la joie générale.

Peter Pan l'a oubliée, d'abord pour Wendy, maintenant pour Lily ! Et personne ne l'a invitée à la fête...

« Hé hé ! se dit Mouche, la fée jalouse pourrait nous aider. » Il l'attrape et l'amène au capitaine. La petite fée est si triste qu'elle en a perdu ses pouvoirs.

« Pauvre petite, lui dit le pirate, Peter t'oublie à cause de cette Wendy ! Si je savais où elle habite... je l'emmènerais en mer pour t'en débarrasser.

– Diling! fait Clochette en montrant sur la carte
l'Arbre Mort. Mais ne faites pas de mal à Peter!

– Ha! Ha! C'est ce qu'on va voir! ricane
Crochet en enfermant la petite fée dans une lanterne
aux parois de verre. Enfin, l'heure de ma vengeance
a sonné! »

Après la fête, tous se retrouvent à l'Arbre Mort, Wendy prend son petit frère sur ses genoux.

« Bientôt nous rentrerons à la maison retrouver maman, lui dit-elle. Maman doit s'inquiéter.

– Si nous partions tout de suite ? » propose Michel.

Wendy se met à chanter doucement.

« On peut venir aussi ? » demandent les Garçons Perdus. Mais, ont-ils envie de quitter le Pays Imaginaire ?

« Nous voulons rentrer à la maison ! dit Wendy
à Peter Pan.

– Celui qui quitte le Pays Imaginaire ne peut
plus jamais y retourner... » répond Peter tristement.

Et il les laisse s'engager dans l'escalier qui
mène au dehors.

Wendy voudrait bien, avant de s'en aller, expliquer à Peter Pan qu'ils doivent retrouver leurs parents, mais Peter fait semblant de ne pas s'émouvoir de leur départ. Il joue de la flûte sans s'occuper de ce qui se passe autour de lui.

La petite fille sort dans la nuit, suivie de ses deux frères...

Mais que voit-elle dans la pénombre : le capitaine Crochet et ses hommes !

Un énorme pirate la saisit, la bâillonne et la ligote avec les deux autres enfants ! Elle n'a pas eu le temps d'appeler Peter au secours.

Mais que fait le capitaine Crochet ? Il prépare avec soin un joli paquet, bien emballé...

Maintenant, au moyen d'une longue corde, il fait descendre ce paquet sous l'Arbre Mort. Quelle mauvaise surprise a-t-il préparée pour Peter Pan ?

« Pressons ! Tout le monde à bord ! Emportez vite les prisonniers, crie le capitaine, et que ça saute ! »

Sur le grand bateau, les enfants sont ficelés au mât. Épouvantés, ils regardent les hommes de Crochet danser et chanter à tue-tête :

*« Oui, c'est beau d'être pirate*
*A bord de la frégate*
*Du fameux capitaine pirate ! »*

Les prisonniers se demandent avec angoisse
quel sort leur réserve l'affreux Crochet...

« Allons, les enfants, crie le capitaine, le visage
éclairé d'un large sourire hypocrite. J'ai besoin de
mousses. Engagez-vous ! Ceux qui signeront ce
papier feront partie de mon équipage ; les autres...
passeront par la planche, c'est-à-dire... jetés à
la mer !

– Ne signez pas ! crie Wendy, voyant les deux garçons épouvantés... Peter va venir nous sauver !

– Peter va venir ! Tu me fais rire ! hurle le capitaine. Dans cinq minutes exactement... BOUM ! plus de Peter Pan, grâce à mon ingénieux cadeau explosif ! »

Mais la fée Clochette, enfermée dans une des lanternes du bateau, a tout entendu. Hélas ! Sa stupide jalousie lui a fait trahir son ami. Vite, elle doit sauver Peter Pan.

Bing ! Bing ! La vitre de la lanterne vole en éclats.

Clochette file comme une fusée, et arrive chez Peter.

« Diling ! Diling ! tinte la petite fée. N'ouvre pas ce paquet, Peter ! Attention, il va exploser ! »

Ils n'ont que le temps de s'écarter ; la bombe éclate.

« Peter est mort... Je suis le maître de l'île! »
hurle Crochet lorsque la terrible explosion retentit.

« Maintenant, les enfants, que voulez-vous? La
plume pour signer votre engagement ou la planche
pour mourir?

– Plutôt la planche et la mort! » dit fièrement
Wendy.

Les bras liés derrière le dos, la tête haute, elle
avance sur la planche qui oscille au-dessus de l'eau.

Après l'explosion de la bombe, Clochette a retrouvé ses esprits et tinté d'urgence dans les oreilles de Peter :

« Diling ! Wendy est en danger. Vite, il faut y aller ! »

Peter arrive à toute allure, saisit Wendy dans ses bras au moment où elle fait un pas dans le vide... Elle est sauvée !

« Le fantôme de Peter Pan... murmure Crochet.

– Dis ta prière, Crochet ! » lui crie Peter.

Un terrible combat s'engage sur la grande vergue...

Peter Pan a libéré ses amis qui poussent des cris de guerre terribles du haut du nid-de-pie.

Crochet s'agite maintenant sur le pont, essayant en vain d'atteindre Peter de la pointe de son épée. Mais Peter virevolte, évitant tous les coups.

« Attention, Peter, prends garde ! crie Wendy.

– Espèce de lâche ! Tu t'envoles comme un moineau dès que j'approche ! hurle Crochet, fou furieux.

– Vieux crabe, je te jure que je ne bougerai plus d'un centimètre... » crie Peter Pan.

Le combat reprend de plus belle.

« Vieux crabe! Vieux crabe! » scandent les garçons, ravis.

Le capitaine lève son épée pour tuer Peter ;
mais il coupe la corde du drapeau dans lequel il
s'empêtre !

« Hourra, Peter est vainqueur ! hurlent les
enfants.

– Crochet, je te laisse la vie sauve, déclare
Peter. Mais ne reviens jamais au Pays Imaginaire ! »

Le capitaine se libère du drapeau, lève son
crochet au-dessus de la tête de Peter Pan pour
l'assommer...

Peter fait un bond pour l'éviter. Crochet,
déséquilibré, pique une tête dans la mer.

« Tic-tac, Tic-tac ! »

Quelqu'un qui aime bien Crochet l'attend
en bas...

« Au secours, Mouche ! » hurle le capitaine.

Mouche et les pirates sautent pêle-mêle dans le
canot. Ils abandonnent leur bateau...

Crochet se cramponne de toutes ses forces à la
gueule du crocodile pour tenir ses mâchoires serrées.

« Je te laisse la vie sauve, Crochet, mais je
garde ton bateau ! » lui crie Peter, devenu capitaine.

« Larguez les amarres, hissez les voiles ! »
commande Peter Pan.

Le bateau, saupoudré d'or, monte vers le ciel!

« Où allons-nous, capitaine ? demande Wendy à Peter.

– A Londres, Wendy. Je vous ramène à la maison... »

Et déjà M. et Mme Darling serrent leurs enfants dans leurs bras.

« Adieu, Peter ! Adieu, Clochette ! Adieu, Pays Imaginaire ! dit Wendy d'une petite voix en voyant la silhouette du bateau s'éloigner dans la nuit, toutes voiles déployées. Nous aurions aimé rester avec vous et ne jamais grandir, mais cela ne se peut pas. Nous vous aimons tant que nous ne vous oublierons jamais...

– Adieu, les gars ! » crient Michel et Jean aux Garçons Perdus qui ont préféré rester avec Peter.

Et les enfants Darling tirent leurs parents vers la fenêtre. Là-haut, devant la pleine lune, se profile le bateau pirate dans son sillage de poudre d'étoile.

« J'ai l'impression d'avoir déjà vu ce bateau, dit M. Darling, tout étonné. C'était il y a très longtemps, j'étais très jeune...

– Moi aussi, dit Mme Darling, émerveillée, je ne l'ai pas oublié.

– Ouah ! » fait Nana, tandis que le bateau de Peter Pan se perd dans la nuit.